*Para Antonio Orlando, por los caminos que hemos
andado y desandado juntos en busca de respuestas.
Para Sergio Alejandro, por sus primeros pasos en este
mundo lleno de misterios y revelaciones.*
SERGIO ANDRICAÍN

*Para Octavio, Yarim, Briseida y Ulises.
Para Abel y Rafaela, mis padres.*
ISRAEL BARRÓN

Dirección editorial y diseño: Ana Laura Delgado
Cuidado de la edición: Sonia Zenteno
Asistencia editorial: Rebeca Martínez
Formación: Caín Cruz

© 2015. Sergio Andricaín, por el texto
© 2015. Israel Barrón, por las ilustraciones

Primera edición, julio de 2015
Segunda reimpresión, octubre de 2018

D.R. © 2015. Ediciones El Naranjo, S. A. de C. V.
            Avenida México 570,
            Col. San Jerónimo Aculco,
            C. P. 10400, Ciudad de México.
            Tel. + 52 (55) 56 52 1974
            elnaranjo@edicioneselnaranjo.com.mx
            www.edicioneselnaranjo.com.mx

ISBN: 978-607-8442-03-4

DRAGONES EN EL CIELO
se imprimió en el mes de octubre de 2018, en los talleres de Jiangsu Phoenix Printing
Production, LTD, China. En su composición tipográfica se utilizaron las familias ITC Berkeley
Oldstyle y Didot. Se imprimieron 2 000 ejemplares en papel couché mate de 150 gramos, con
encuadernación en cartoné. El cuidado de la impresión estuvo a cargo de Ediciones El Naranjo.

Impreso en China / *Printed in China*

Sergio Andricaín / Israel Barrón

DRAGONES EN EL CIELO

el
naranjo

Hace muchísimo tiempo, en un lejano país, había una aldea,
y en la aldea, una cabaña, y en la cabaña vivían dos niños
curiosos e inteligentes. Cuando terminaban de ayudar
a sus padres en las labores de todos los días, les gustaba
ir al bosque cercano, en busca de aventuras y enigmas.

Las personas mayores siempre les advertían
de los peligros de perderse por esos senderos oscuros,
poblados de seres encantados y terribles; de encontrarse
con gigantes devoradores de niños, de ser atrapados
por una bruja o transformados en cisnes por algún
duende malgenioso; pero las ramas de los árboles
parecían hacerles señas… y ellos acudían a su llamado.

Una tarde, luego de haber realizado sus tareas —ella, barrer la casa, dar de comer a los animales del corral, atender el huerto; él, cortar la leña, traer agua del río, ayudar a su padre en la herrería—, los hermanos se marcharon al bosque como era su costumbre. Treparon a los árboles, imitaron el canto de los pájaros, cruzaron con grandes saltos el arroyo y, finalmente, jugaron a las escondidillas.

Para empezar, le tocó a él taparse los ojos con la palma
de una mano y cantar una antigua y extraña melodía:

El bosque es de humo,
el bosque es de sueños,
no tiene comienzo
ni tampoco fin.

El bosque te encanta
con sus mil secretos,
lleno de misterios
por descubrir...

Mientras su hermano entonaba los versos, la niña buscaba dónde ocultarse: probó detrás de un pino, pero era muy delgado; lo intentó detrás de una roca, pero sobresalía su cabeza… Finalmente, encontró unos arbustos y se arrodilló detrás de sus tupidas ramas.

Grande fue su sorpresa al descubrir, en medio del matorral, un enorme huevo. Nunca antes había visto uno así. Su cáscara era tan blanca y pulida que parecía un pedazo de luna. En seguida llamó a su hermano para enseñárselo y entre los dos, con gran esfuerzo, llevaron el huevo hasta su hogar.

Una vez allí, consultaron a sus padres dónde ponerlo.
Entre todos decidieron que el mejor lugar era una cesta
de juncos que llenaron de paja y hojas; luego la taparon
con viejas mantas y la pusieron cerca de la chimenea, con
la esperanza de que el calorcito del fuego y la tibieza
del nido terminaran de incubar el extraño huevo.

Pasaron los días, los días se convirtieron en semanas
y las semanas, en meses… y no sucedía nada. El huevo
permanecía igual, sin dar ninguna señal de que fuera
a romperse.

Al principio, los niños apostaban. Ella decía: "Estoy
segura de que adentro hay una enorme salamandra de plata
que convierte en piedra a quienes miran sus ojos".

Él respondía: "No, hermanita, en su interior duerme
un ave fénix, con un plumaje de naranjas y rojos
tan encendidos que parece de fuego".

Una mañana, mientras desayunaban junto
a sus padres, escucharon un sonido procedente
de la cesta-nido. Primero fue un tímido tac-tac,
que luego se transformó en un fuerte toc-TOC…
y por último en un estruendoso ¡CRAAASH!
Al acercarse, vieron salir de entre los pedazos
de cascarones un cachorro de dragón.

Su cuerpo estaba cubierto de escamas iridiscentes
y tenía, a ambos lados del lomo, unas alas plegables
casi transparentes.

En su pequeña cabeza se destacaban unos ojos tan
negros como la noche cuando no hay luna ni estrellas,
dos orificios nasales redondos, del tamaño de una
moneda, y una gran boca desdentada.

Tenía cuatro patas terminadas en garras con uñas
afiladas y una cola muy larga, con forma de tirabuzón
en la punta.

Lo primero que hizo el dragoncito fue tratar de salir de su nido. El herrero se colocó unos gruesos guantes de cuero y lo puso en el piso. Después de varios resbalones y tropiezos, el recién nacido comenzó a caminar hacia la luz que entraba por la puerta abierta de la cabaña.

Una vez afuera, buscó el pasto y empezó a comer. La familia en pleno lo observaba con sorpresa. "Yo pensaba que los dragones se alimentaban de carne", dijo la madre. "Siempre escuché decir que les encantaba devorar princesas y ovejas", comentó el padre. Los niños permanecieron callados, sin salir de su asombro.

Una vez saciada su hambre, el animal se encaminó a un
charco de agua y bebió con largueza. Al terminar, abrió
su bocaza. "A correr", gritó el padre. "Seguro que va
a lanzar su primera bocanada de fuego". Pero no, el
tornasolado dragón solo dejó escapar un sonido grave
y desafinado. A continuación se dirigió a donde estaba
oculta la familia, se acercó a la niña y, con su lengua roja
y áspera, lamió sus pies descalzos. Ese fue el comienzo
de la amistad que unió al dragón con los hijos del herrero.

Pasaron de nuevo días y semanas que, al sumarse,
se transformaron en meses, y mientras el tiempo transcurría,
el dragón empezó a crecer y a crecer hasta alcanzar el tamaño
de la cabaña.

A pesar de que las viejas leyendas contaban que
las criaturas de su especie eran malhumoradas, dañinas
y egoístas, él era simpático, cariñoso y colaborador. Si hacía
falta arreglar el techo de la vivienda, ayudaba a subir
los troncos y las ramas. Cuando era necesario traer agua
del río, cargaba varios baldes de un solo viaje. Además,
su presencia en la casa bastaba para ahuyentar a los
mosquitos, los ratones y, por supuesto, a los ogros.

Ahora bien, lo que más disfrutaban los niños, y también el dragón,
eran los paseos. Todos los días, al caer la tarde, los hermanos
se subían en el lomo de la bestia y, sujetándose de unas bridas,
sobrevolaban la cabaña, la huerta y el bosque, mientras divisaban,
allá abajo, en la distancia, parches con distintas tonalidades de verde,
un sinuoso hilito de cristal, un espejo plateado…

Pero aunque su compañero tenía cabeza, cuerpo, alas y cola
de dragón, por sus fauces nunca había salido ni una pizca de fuego.
Solo el mismo sonido de siempre, cada vez más grave y desafinado.

Vecinos de pueblos cercanos y lejanos iban a la cabaña de la familia del herrero atraídos por las noticias que corrían acerca del famoso dragón, pero se marchaban decepcionados al comprobar que al abrir su enorme boca, únicamente salía aquel ronco bramido.

Molestos por los comentarios burlones que algunos hacían sobre
su amigo, los niños lo habían puesto muchas veces frente a la chimenea
para que viera las llamas y se inspirara, pero nunca pasó nada.

También lo llevaron al taller de su padre, con la esperanza de que,
al contemplar las lengüetas rojizas de la forja, tratara de imitarlas,
y tampoco sucedió lo esperado.

Los niños sabían que un dragón que no lanzaba fuego por las fauces
no era un auténtico dragón, pero lo querían igual, porque era el suyo
y había crecido junto a ellos.

Una tarde de fiesta, mientras los hermanos descansaban junto
al animal, vieron acercarse por el cielo una fulgurante llamarada. Parecía
que del sol se hubiera desprendido una lámina incandescente.
A medida que se aproximaba, pudieron distinguir la figura de un dragón
dorado. Al pasar por encima de ellos, la hermosa bestia dirigió la vista
hacia abajo y lanzó una gran bocanada de fuego. No avanzó mucho
más por los aires, sino que dio media vuelta y, lentamente, comenzó a
descender en círculos.

Cuando el dragón dorado plantó sus garras sobre el suelo, lanzó
de nuevo una larga llamarada, esta vez en dirección a las nubes. Luego,
miró con sorpresa al otro dragón, abrió y cerró varias veces los ojos
con curiosidad, y empezó a batir las alas y a mover la cola de un lado
hacia el otro.

El dragón de los niños se incorporó. Algo se había
encendido en su interior. Era como si un torrente
de lava subiera, imparable, desde sus entrañas hasta
su garganta y, de pronto, sin poder evitarlo, abrió
sus fauces y dejó escapar una llama hacia el infinito azul.

La bestia de piel dorada lo miró profundamente
a los ojos y, luego de resoplar varias veces por sus anchas
fosas nasales, agitó sus alas y sacudió su larguísima cola.
No había ningún gesto de enemistad en su actitud, más
bien cada uno de sus movimientos parecía ser un llamado
de amistad o de amor, pero ¡quién podía saberlo! Lo que
acontecía ante los ojos de los niños era algo mágico
y cautivador, un misterio indescifrable.

Con cautela, los dos animales se aproximaron, como
si ejecutaran los pasos de un elegante baile y, cuando
estuvieron cerca, se olisquearon, desplegaron sus alas
y volvieron a lanzar, hacia lo alto, bocanadas de fuego.

Pasaron así un rato, cual si se tratara de un antiguo
ritual. Luego, se separaron. Entonces, la bestia color
de oro levantó vuelo, con la vista fija en el dragón
que dejaba tras de sí.

Este lo siguió con la mirada, luego volvió la cabeza
al sitio donde estaban los niños… y, tras un instante
de vacilación, también echó a volar.

Ese atardecer, muchos campesinos vieron
en el cielo dos rayos luminosos —iridiscente
uno, dorado el otro— que parecían jugar entre
las nubes. Poco a poco se fueron alejando,
haciéndose cada vez más y más pequeños, hasta
convertirse en apenas dos puntos de luz que
terminaron por desaparecer en el firmamento.

Ya casi de noche, los dos hermanos regresaron
a su hogar silenciosos, con decenas de preguntas
rondando sus cabezas y con el corazón apretado
como una fruta seca en su pecho.

Transcurrieron los días nuevamente y, a su paso, se acumularon
semanas, meses, años… Los niños crecieron y se convirtieron
en un hombre y en una mujer; ella se enamoró de un pastor
y él, de una bella aldeana. Se casaron y tuvieron hijos. Ninguno
de los dos hermanos olvidó a su dragón. Cada uno conservaba muy
vívido el recuerdo de su partida y, aunque no lo confesaran, ambos
tenían la esperanza de que quizás, algún día, su amigo volviera para
hacerles la visita.

Y algunas noches, luego de una dura jornada de trabajo,
se reunían al calor de la lumbre con sus familiares y les contaban
un cuento que empezaba así:

"Hace muchísimo tiempo, en un lejano país, había una aldea,
y en la aldea, una cabaña, y en la cabaña vivían dos niños curiosos
e inteligentes…".